CW00969887

Le livre des Pourquoi

conforme à la loi 49-956 du 16 juillet 1949
sur les publications destinées
à la jeunesse

conception graphique : Élisabeth Ferté

ISBN : 2-7324-3022-6
Dépôt légal : mai 2006
Produit complet Pollina - n° L40232

connectez-vous sur :
www.lamartiniere.fr

Le livre des Pourquoi

Martine Laffon
Hortense de Chabaneix

Illustrations
Jacques Azam

De La Martinière
Jeunesse

Sommaire

Pourquoi les enfants ne rangent-ils jamais leurs affaires ?

Les enfants
ne rangent pas leurs affaires
peut-être parce que, secrètement,
ils espèrent que quelqu'un
le fera pour eux !

Nous n'avons pas tous
la même idée de l'ordre
et pourtant, depuis que nous sommes
nés, nous passons notre temps
à ranger et à classer. Notre cerveau
trie toutes les informations
que nos cinq sens et notre raison
lui envoient : les chiens
avec les chiens, les tables
avec les tables.

Chaque fois
qu'il perçoit une information,
le cerveau doit la classer
et la ranger dans une catégorie
pour savoir la reconnaître.
Si nous rangions systématiquement
une chaussette avec une casserole
et mettions le tout dans le réfrigérateur
il y aurait certainement
quelque chose de grave du côté
de notre cerveau.

Parfois,
par paresse,
nous préférons pourtant
ranger les chaussettes
avec n'importe quoi. Et voilà
comment s'installe un beau désordre.
Mais les parents pensent aussi
que chambre en désordre égale
tête en désordre. Et que tête
en désordre égale impossible
d'apprendre et de travailler
correctement à l'école.

Là, ils ont raison.
Ranger, classer, même si c'est
dans un ordre qui n'est logique
et cohérent que pour nous-même,
permet une meilleure organisation
de son travail. Et, curieusement,
cela commence par de bien
petites choses, comme
ranger ses propres
affaires.

À quoi ça sert de pleurer ?

Un coup de vent intempestif ou une grande peur, un moucheron en déroute ou une profonde tristesse, un microbe envahisseur ou une vive douleur, pour notre usine à larmes, tout cela, c'est du pareil au même ! Cette usine ne fait pas la différence entre une agression physique ou psychologique. Mais comment ça marche et comment les larmes apparaissent-elles ?

Imaginez une voiture de grand standing dont le liquide de nettoyage se fabriquerait automatiquement et se déclencherait à la moindre tache sur le pare-brise. Tout comme cette voiture de rêve, notre œil est remarquablement équipé pour éviter que toute attaque extérieure ne nous brouille la vue : le pare-brise, c'est la membrane transparente recouvrant et protégeant la cornée. Le liquide de nettoyage, ce sont les larmes. Et les essuie-glaces, ce sont nos paupières.

En temps normal, cette belle usine produit en moyenne 1,5 millilitre de larmes par jour s'écoulant régulièrement dans l'œil, sans débordement. Mais lorsqu'il y a « agression », elle se met à produire des larmes sans restriction jusqu'à ce que tout rentre dans l'ordre.

L'œil et le nez ne pouvant alors pas tout absorber, il y a trop-plein, les larmes s'écoulent le long des joues et par le nez.

Alors, rien ne sert de se retenir, pleurer fait du bien. Les larmes sont l'un des meilleurs moyens pour nettoyer corps et âme de nos blessures et nous permettre de continuer à « rouler » avec une bonne visibilité !

Pourquoi les assiettes à dessert sont plus petites que les assiettes à soupe ?

Autrefois,
dans les familles riches,
on remplaçait les assiettes
au moins six fois
au cours du même repas.
Aujourd'hui, même si l'on en change
beaucoup moins, une règle de politesse
veut que l'on mange le dessert
dans une autre assiette
que celle qui a servi
au plat principal
ou à l'entrée.

Il est en effet
préférable de ne pas
mélanger ces goûts
très différents
dans des assiettes
déjà salies.

Mais pourquoi
les assiettes à dessert
sont-elles aussi petites ?
Si petites que l'on peut à peine
y mettre trois cuillères
de mousse au chocolat !

Le dessert
arrivant à la fin du repas,
il est impossible de se goinfrer
de tarte aux framboises, de crème
au caramel ou autres délices
comme si l'on avait l'estomac vide.
La taille des assiettes à dessert
est donc proportionnelle
à celle de l'appétit.

La soupe
et les autres plats
sont là pour nous nourrir.
Le dessert est une gourmandise
qui n'a rien à faire avec la faim.
Alors, si vous voulez une grande
assiette à dessert, il n'y a
qu'une solution : commencer
par la fin !

Pourquoi il pleut ?

Aussi bizarre
que cela puisse paraître,
l'expression « faire la pluie
et le beau temps » ne peut pas
se vérifier quand on parle de climat.
Personne ne peut décider
du temps qu'il fera demain
ou dans deux heures.
Alors, pourquoi
pleut-il ?

L'air est toujours
en mouvement autour de la Terre
et se déplace du froid vers le chaud.
L'air chaud est léger et haut,
l'air froid est plus lourd et donc
plus bas. Parce que l'eau des océans,
des rivières et des lacs s'évapore
continuellement, l'air
est constamment chargé
d'humidité.

Quand il arrive
au-dessus d'un sol froid,
il refroidit, s'alourdit,
et c'est ce qui donne le brouillard
et la rosée.

Lorsqu'il arrive
dans une zone chaude,
il s'élève et la vapeur devient nuage.
Et quand les gouttes d'eau
sont trop lourdes à porter,
il pleut !

Mais si l'explication
du phénomène est assez simple,
les variations du temps
sont nombreuses et parfois
imprévisibles. Les vents
sont capricieux, et il n'est pas simple
de connaître exactement la force
avec laquelle vont s'affronter
un front froid et un front
chaud.

Et les météorologues
ont beau disposer d'ordinateurs
de plus en plus sophistiqués,
la prévision reste
très complexe.

Pourquoi il y a des maladies ?

Dans toutes les cultures passées ou actuelles, on s'est interrogé sur l'origine des maladies.

Dans notre médecine occidentale, nous avons regroupé les causes de maladie en quatre grandes catégories. La première concerne les attaques extérieures. Les ennemis peuvent alors être un insecte, un virus, une bactérie ou un champignon, ou encore la pollution et même une mauvaise alimentation. C'est ce qui se passe quand on a la rougeole, la grippe, le sida ou des allergies.

Ensuite, il y a les maladies dues à un dérèglement interne : le fonctionnement de l'organisme se déséquilibre ou les cellules s'emballent. Cela ressemble à une autodestruction. Un diabète ou un cancer peuvent se développer ainsi.

Les deux autres catégories de causes de maladie se caractérisent par un « accident » survenu dès notre conception, ce sont les maladies génétiques et les maladies chromosomiques. Par exemple, la mucoviscidose, maladie génétique, est due à un gène abîmé.

Quant aux maladies chromosomiques, sachant que tous nos chromosomes vont par paires, elles sont dues à un chromosome en plus ou en moins sur une de nos vingt-trois paires. Une personne atteinte de trisomie 21 a trois chromosomes au lieu de deux sur la vingt et unième paire.

Si nous sommes plus ou moins résistant au développement de certaines maladies dans notre organisme, nous pouvons limiter les risques en adoptant une bonne hygiène de vie et en respectant notre corps. « Mieux vaut prévenir que guérir ! »

Pourquoi j'ai peur dans le noir ?

Parce que
dans le noir on n'y voit rien !
Nous ne sommes pas des chats,
et notre œil a besoin d'un minimum
de lumière pour se mettre
en mouvement et distinguer notre
environnement.

Laissez la porte ouverte !
Allumez la lumière du couloir !
Ne fermez pas les volets ! À chacun
son truc pour ne pas se réveiller
dans le noir.

Il aura suffi d'une fois,
une seule petite fois
dont on ne se souvient même pas,
pour que notre infaillible mémoire
enregistre à jamais la peur du noir :
un bébé qui s'endort dans les bras
de sa maman et se réveille
dans un berceau
qu'il ne connaît pas.

Un réveil brutal
la tête au fond du lit
à la place des pieds. Ou encore
une envie pressante au milieu
de la nuit sans plus savoir
où sont les toilettes.

En plus
de nos problèmes de vue
ou de mémoire vient s'ajouter
le silence de la nuit qui amplifie
le moindre bruissement de feuilles
ou craquement de parquet.
Ou encore le fait
qu'entre deux sommeils
nos sens ne soient pas en complet
état de marche. Avouez
qu'il y a de quoi chambouler
tous nos repères.

Sachez tout de même
que si les enfants disent leur peur
du noir, souvent les grandes personnes
la cachent. Et, l'air de rien,
certains ne ferment jamais
leurs rideaux !

Pourquoi les enfants sont obligés d'obéir ?

Ah !
Ne pas jouer
avec les allumettes,
ne pas manger que des bonbons,
se brosser les dents,
aller se coucher…
Que tout cela
est embêtant !

Mais n'avez-vous jamais vu,
lors d'un reportage sur la vie
des animaux, une maman lionne
attraper son lionceau par la peau
du cou pour le ramener
près du groupe ?
Ou une maman singe obliger
son petit à rester tranquille
lors d'un épouillage
en règle ?

C'est comme ça !
Les petits d'hommes
ou d'animaux ne savent pas
en naissant ce qui est bon pour eux.
C'est à leurs parents de leur apprendre
à se nourrir, à se laver et à faire
attention à tout ce qui les entoure.
Tant que les réflexes de survie
ne sont pas acquis, les parents
disent et redisent, montrent
et remontrent.

C'est en quelque sorte
la « loi de l'Amour ».
Un enfant n'obéit pas parce que
les plus grands sont les plus forts,
mais parce qu'il est aimé de ses aînés.
Le rôle des parents est avant tout
celui d'amener leurs enfants à pouvoir
vivre autonomes tout en s'intégrant
à la société qui les entoure.

Alors, un petit conseil,
plus vite vous saurez réaliser
ces gestes indispensables sans
qu'on ait à vous le dire,
moins ils vous sembleront
des obligations !

Ne va pas là…
Fais pas ci !
Fais pas ça !
Attention !
Pas par là !
Fais tes devoirs !
Range ta chambre !

Pourquoi on n'a pas tous le même dieu ?

Dans l'Antiquité,
les Grecs vénéraient Zeus,
le dieu des dieux. Pour les Romains,
c'était Jupiter le maître des dieux et des hommes. On dit que les Égyptiens avaient douze grands dieux.
Aujourd'hui, 82 % des habitants de la planète ont une religion, mais ils prient des dieux différents.

Pour certains,
il n'y a qu'un seul dieu,
pour d'autres des multitudes de dieux ou de déesses.
Pour certains, ce dieu unique est bon, pour d'autres,
il existe des dieux malfaisants.

Pourquoi
tous les hommes
n'ont-ils pas le même dieu ?
Parce que personne ne sait comment est Dieu, chacun se le représente alors à sa façon.
Impossible donc d'avoir tous la même idée de Dieu.

Pour les juifs,
les chrétiens et les musulmans,
il n'y a qu'un seul dieu créateur du monde et des hommes.
Pour les hindous, Brahma, Shiva et Vishnou sont les trois grandes divinités. On peut aussi croire au même dieu et le prier différemment selon sa religion.

Chaque religion
suit ses rites. Elle enseigne comment, quand et où prier,
ce qu'il faut manger, ce qui est interdit, comment s'habiller pour être en accord avec son ou ses dieux.
Choisir de croire en tel ou tel dieu dépend en partie de la culture du pays auquel on appartient.
En Asie, par exemple, il y a peu de chrétiens et en Occident peu d'hindous.

Pourquoi on aime et puis après on n'aime plus ?

Amour rime avec toujours disent les poètes, et pourtant ! On peut aimer de tant de façons différentes : amitié, affection, admiration, amour familial, amour amoureux…

En principe, le seul amour qui dure toute une vie est celui d'un parent pour son enfant. Après, c'est l'histoire de chacun avec quelqu'un d'autre.

Votre meilleur copain peut devenir votre pire ennemi s'il a trahi votre amitié en vous humiliant, par exemple. Ou vous pouvez vous détacher de lui parce que vous n'avez plus les mêmes idées.

On ne peut pas s'empêcher de grandir ni de vieillir. Des différences entre les uns et les autres se creusent avec le temps qui passe. Nous avons d'autres amis, nous nous intéressons aujourd'hui à ce qui nous ennuyait hier… Bref, nous changeons, nos sentiments aussi.

Lorsque l'on se sépare après s'être aimés, c'est toujours triste. Mais parfois on accepte les autres comme ils sont pour se rapprocher d'eux. C'est une question de confiance, de confiance en soi et de confiance en l'autre.

Comment le ciel peut-il faire du bruit ?

Ce n'est pas
le petit Jésus qui joue
à la pétanque avec ses copains,
ni un accident entre deux nuages,
qui provoquent les orages.
Dommage, ce serait drôle,
mais le bruit du ciel en colère
est bien issu de phénomènes
météorologiques précis.

Lorsqu'il fait très chaud
ou qu'un courant d'air froid et sec
rencontre un courant d'air chaud
et humide, d'énormes nuages sont soulevés.
À l'intérieur de ces nuages,
des tourbillons aspirent les gouttes d'eau
vers le haut. Comme à une certaine altitude
la température de l'air baisse, l'eau
se transforme alors en glace et retombe,
car elle est plus lourde.
Plus bas, la glace redevient eau
et est de nouveau aspirée.

Il y a donc
un frottement incessant
entre l'eau et la glace qui produit
de l'électricité, et ainsi de la lumière
et de la chaleur, c'est l'éclair.
Sous l'effet de cette chaleur,
l'air se déchire dans
une violente détonation,
c'est le tonnerre.
Et comme la vitesse
de la lumière est plus de mille fois
supérieure à la vitesse du son,
nous voyons les éclairs avant
d'entendre le grondement
du tonnerre.

Incroyable mais vrai !
Il se produit près
de quarante-quatre mille orages
par jour sur la Terre !

Pourquoi on veut être champion du monde et qu'on n'y arrive pas ?

Champion du monde,
quel beau rêve !
Foot, vélo, échecs, boudin blanc !
On voudrait bien avoir son nom
écrit en gros dans les journaux,
passer à la télé, signer
des autographes.

Mais voilà,
on a beau s'entraîner,
s'entraîner et s'entraîner
pendant des années…
Rien à faire !
N'est pas champion
qui veut !

Eh oui,
on peut vouloir être
quelqu'un d'exceptionnel
ou faire quelque chose de particulier
sans jamais réussir. Soit
tout simplement parce que l'on n'a pas
réellement les aptitudes physiques
et intellectuelles pour y arriver.
Soit parce que le but
que l'on s'est fixé, ou que
quelqu'un nous a imposé,
est bien trop ambitieux
pour nous.

Mieux vaut
avoir les pieds sur terre
pour ne pas aller d'échec en échec et,
surtout, mieux vaut évaluer
ses capacités et ses limites avant
de se fixer un objectif
pour le réaliser.

Dans l'Antiquité grecque,
les sages conseillaient à chacun
d'agir toujours selon le « juste milieu »,
de viser ni trop haut ni trop bas.
Champion de son club,
c'est bien aussi !

Qu'est-ce qu'il y a à l'intérieur d'une colline ?

Une joyeuse bande de lutins qui s'amusent à creuser des galeries pour faire peur aux taupes ! Soyons sérieux et demandons plutôt à ceux qui s'occupent des transformations subies par la Terre, les géologues, ce qui constitue l'intérieur d'une colline !

Il a fallu sept cents millions d'années pour façonner le relief que nous pouvons observer. En France, par exemple, il y a des montagnes, des plateaux, des collines et des plaines.

Les collines sont en réalité de très hautes montagnes nées au moment de la formation de la Terre, mais dont les roches ont été érodées, c'est-à-dire usées, par le vent, l'eau, le froid et cela pendant des millions d'années. Et, si l'on peut dire, elles ont rapetissé.

Certaines collines n'ont plus que 200 mètres d'altitude et finiront par être plates comme une crêpe. Les formes du relief de la Terre ne sont pas figées, elles évoluent imperceptiblement sur des millions d'années, constituant ainsi de nouveaux reliefs.

Mais pas question de lutins cachés bien à l'abri des collines… Des roches encore des roches, dehors comme dedans !

Qui a décidé qu'une journée faisait 24 heures ?

C'est facile
de lire l'heure sur une montre
ou sur un réveil, mais, autrefois,
dans l'Antiquité, il fallait se débrouiller.
On se servait du Soleil pendant le jour.
Mais la nuit, comment faisait-on ?

Les astronomes
de l'Égypte ancienne divisèrent
es heures de la nuit grâce aux étoiles.
ls avaient remarqué qu'elles se lèvent
à l'est et se couchent à l'ouest
comme le Soleil. Pour les observer
plus facilement, ils divisèrent
alors le ciel, un peu comme
un gros gâteau, en trente-six
portions ou séquences.

Ils savaient aussi
qu'une de ces étoiles est fixe,
l'étoile Polaire, et que les autres
étoiles tournent autour d'elle.
Ils décidèrent de s'en servir
comme repère.

En observant
le ciel en été, les astronomes
remarquèrent que seules douze
portions de ciel passaient devant
leur repère. Ils décidèrent alors de fixer
une heure par portion, soit une durée
de douze heures pour toute la nuit.
Ils supposèrent que pour le jour
c'était pareil et attribuèrent donc
une durée de douze heures pour
le jour aussi. La journée divisée
en vingt-quatre heures
venait d'être inventée.

On a retrouvé peintes
sur les toits de tombes datant
de 3000 av. J.-C. des horloges
à étoiles qui servaient
à cette mesure
du temps.

Pourquoi les animaux vivent moins longtemps que les hommes ?

Les éphémères sont des insectes dont les larves restent de deux à trois ans au fond d'un lac et vivent moins d'une heure à l'état d'adulte.

La plus vieille tortue du monde s'est éteinte en 1965 à l'âge d'au moins 192 ans. On le sait, car elle avait été offerte à la famille royale du Tonga en 1773 par le capitaine Cook.

Quant à l'homme, les scientifiques considèrent que son espérance de vie naturelle est de 120 ans. Avec les tortues et les éléphants, nous serions donc ceux destinés à vivre le plus longtemps. Mais pourquoi y a-t-il tant de différence ?

Pour chaque espèce, le processus de vieillissement de l'organisme est « programmé » d'avance : le nombre de cellules, leur renouvellement et leur disparition. Mais cette programmation peut être perturbée par tout un tas d'éléments extérieurs qui viennent raccourcir la longévité.

Grâce aux nombreux progrès médicaux et parce que les conditions de travail et de vie en général se sont nettement améliorées, l'espérance de vie humaine s'est autant allongée au cours du dernier siècle que pendant les cinq mille années précédentes !

Mais cela n'est valable que pour les pays dits « développés ». Dans certaines régions comme le sud de l'Afrique, où le sida touche plus de 10 % de la population, l'espérance de vie a baissé de seize ans en vingt-cinq ans.

C'est increvable ces bestioles!

Pourquoi on est méchant ?

Est méchant qui veut.
Car être méchant est d'abord un acte volontaire, celui de vouloir nuire à quelqu'un, de faire mal.
On ne naît pas méchant, on le devient.

Le plus souvent, c'est la colère qui déclenche la méchanceté. Car c'est un sentiment très violent et difficilement contrôlable. D'un seul coup, sans réfléchir, les coups, les mots, les cris peuvent exploser comme un volcan en furie.
Et la violence génère la violence et d'autres cris, et puis des larmes de tristesse, d'impuissance et de culpabilité.

On ne peut pas aimer tout le monde.
Comme on ne peut pas tout comprendre ni tout accepter.
Pour éviter l'explosion, une Cocotte-Minute a une soupape de sécurité qui laisse échapper la vapeur. Nous, nous avons la parole. Dire ce que l'on ressent, demander des explications ou se poser à soi-même la question : « Pourquoi je me mets dans un état pareil ? », permet souvent de mieux comprendre et d'éviter les excès de langage et les accès de violence.

Comment un avion arrive-t-il à voler ?

Planer dans les airs,
se rapprocher du Soleil
ou regarder la Terre depuis le ciel
a toujours été dans nos rêves
es plus chers. Pourtant, il nous aura
fallu des siècles et des siècles
pour comprendre qu'il ne suffit pas
de se coller des ailes sur le dos
pour voler comme
un oiseau !

À force d'observer,
de chercher, de s'élever,
puis de tomber, l'homme a découvert
que, tout invisible qu'il soit,
l'air est une matière avec ses forces
et ses courants. Sans lui,
pas de décollage possible.
Alors, comment les ailes
fonctionnent-elles ?

Lorsque l'avion
prend de la vitesse
grâce à son moteur, l'air est freiné
par ses ailes et se divise en deux.
D'un côté, parce que l'aile est bombée
sur le dessus, l'air est projeté vers le haut.
Sa pression est plus faible, et il appuie
moins fort sur l'avion. De l'autre,
en dessous, c'est l'inverse qui se passe.
L'aile étant légèrement inclinée, l'air
est projeté vers le bas, exerçant
une pression plus forte qui pousse
l'avion vers le ciel.

Ainsi,
l'avion peut s'envoler
et garder de l'altitude grâce à l'air
qui le soutient.

Pourquoi on suce son pouce ?

Sucer son pouce
procure un plaisir immédiat,
et il n'est pas rare de voir des bébés
commencer à le faire dans le ventre
de leur maman.

Téter est également
indispensable à la vie, c'est ainsi que
l'enfant se nourrit. Il est donc facilement
compréhensible qu'entre deux repas
ce geste naturel, mais pas obligatoire,
puisse être source de satisfaction,
de calme et de sérénité.

Avec le temps,
sucer son pouce devient
un geste réflexe. La plupart
des enfants renoncent à leur pouce vers
7 ans, l'âge de « raison ». Tiens, comme
c'est bizarre ! C'est également vers cet âge
qu'apparaissent les dents définitives.
Il faut dire qu'après, sucer son pouce
peut entraîner des déformations
du palais, des dents et des défauts
de prononciation.

L'âge de « raison »,
c'est aussi le moment où un enfant
se sent prêt à grandir, à devenir
plus autonome, à conquérir le monde
extérieur. Il va donc naturellement
abandonner une habitude
qu'il avait prise bébé.

Mais pas de panique !
Sept ans n'est pas un âge limite
au-delà duquel un suceur de pouce
devient un anormal,
il n'est pas prêt,
c'est tout !

Pourquoi le vent est invisible ?

Alizés,
aquilon, blizzard, galerne,
meltem, pampero, sirocco, willy-willy
ou zéphyr, chacun des cent cinquante
vents soufflant sur notre Terre
a été nommé selon sa provenance
ou ses caractéristiques.

Les Anciens
croyaient à une origine divine :
le souffle d'un dieu très en colère
pour les tempêtes et les ouragans,
ou l'haleine fraîche d'une déesse
endormie pour les brises rafraîchissantes.
Il a fallu attendre le XVIIe siècle
et Galilée, Pascal et Torricelli
pour comprendre que le vent
n'était en fait qu'un simple
courant d'air.

En fonction
de l'intensité des rayons du Soleil,
l'air est plus ou moins chaud.
Les vents proviennent des zones froides
où l'air est plus lourd et soufflent
vers les zones chaudes où l'air
est plus léger. Plus la différence
de pression est élevée entre
les courants d'air chaud et froid,
plus le vent est violent.

Alors,
pourquoi le vent est-il invisible ?
Parce que c'est un mélange de gaz
incolores et inodores et
d'une multitude de poussières
diverses et microscopiques
invisibles à l'œil nu.

Chargé
de gouttelettes d'eau
ou de sable, on peut parfois
l'apercevoir qui se déplace,
mais la plupart du temps on ne fait
que le sentir et l'entendre gémir,
hurler ou siffler !

Pourquoi j'aime le chocolat et pas les épinards ?

Quand ils sont cuits,
les légumes à feuilles ou à branches
comme les salades ou les épinards
dégagent une saveur amère
que vous n'appréciez pas toujours.
Mais, adoucis par une sauce de votre
goût, ils peuvent devenir très bons !
Quant au chocolat, tout dépend encore
de la recette, essayez donc de croquer
directement dans une fève de cacao
et vous verrez à quel point
c'est amer !

Apprécier ou non
ce que l'on mange est un système
complexe mêlant étroitement odeur,
saveur, sensation et culture.
Une sorte d'ordinateur central du goût
situé dans le cerveau, et appelé
savamment « centre olfactif et gustatif »
analyse et interprète les informations
reçues par les centaines de millions
de capteurs que nous avons
dans le nez, le palais et
sur la langue.

Il trie en quatre
grandes catégories
– sucré, salé, acide ou amer –
et associe ces saveurs à la mémoire.
Le sucré fait en général l'unanimité,
car il est directement associé
au goût du lait maternel : il nous
procure une sensation de plaisir
et de satisfaction affective.
Le salé arrive en deuxième position,
heureusement, car il est vital :
il permet au corps de garder
l'eau dont nous sommes
constitués à 65 %.

L'acide et l'amer
ne sont pas vitaux,
et notre appréciation
de ces saveurs dépend de
la réaction de nos capteurs
et surtout de l'éducation
de notre goût.

Savez-vous que les capteurs
de la langue sont appelés « papilles » ?
Elles sont positionnées de la façon suivante :
sur le bout de la langue, celles plus sensibles
au sucré. Juste après, sur les côtés,
celles attachées au salé. Derrière elles,
les sensibles à l'acide et, tout au fond,
les spécialistes de l'amer.

Pourquoi y a-t-il des tremblements de terre à certains endroits et pas à d'autres ?

Notre bonne vieille Terre est loin d'être aussi ferme qu'on le pense. Tout craque et bouge à sa surface et circule dans ses entrailles.

Sous l'écorce terrestre, sorte de coquille rocheuse qui compose notre sol, se trouve le manteau épais de 3 000 kilomètres et composé de roches en fusion qui circulent très lentement : le magma. C'est entre l'écorce et le manteau que naissent les tremblements de terre.

Cette zone de turbulence est découpée en une vingtaine de plaques tectoniques qui flottent sur le magma et se déplacent constamment de 2 à 5 centimètres par an. Elles s'écartent, se rapprochent ou glissent les unes contre les autres. Le frottement provoque des tensions énormes. Et lorsque la tension est plus forte que la résistance des roches, celles-ci se brisent ou changent de position.

Ces brusques mouvements provoquent des vibrations : ondes sismiques qui remontent jusqu'à la surface et font trembler le sol.

L'espace entre deux plaques s'appelle une faille, et c'est le long des failles que se produisent les tremblements de terre. Il existe des cartes qui indiquent la position des plaques et des failles, et donc les zones géographiques à risques.

Pourquoi les étoiles brillent dans le ciel ?

Depuis la nuit des temps, on raconte beaucoup de choses sur les étoiles. Certains de nos lointains ancêtres pensaient qu'elles étaient épinglées sur le ciel, immobiles et éternelles comme les dieux. D'autres croyaient que c'était des petits trous pour laisser passer la pluie !

Maintenant, on sait que les étoiles – comme le Soleil, qui n'est qu'une étoile parmi les 200 milliards de notre galaxie – naissent, vivent plusieurs millions d'années, puis meurent.

Les étoiles sont de gigantesques boules de gaz brûlants (leur température peut atteindre plus de 10 000 degrés). Ces boules de gaz libèrent une énergie considérable qui produit de la lumière. Voilà pourquoi les étoiles brillent.

Mais de nombreuses bulles d'air chaud se promènent sans cesse dans l'atmosphère. Chaque fois qu'elles passent devant les étoiles, ces bulles d'air deviennent leur lumière et les étoiles nous semblent alors moins lumineuses.

Pour les astronomes, il existe deux luminosités pour une même étoile. Celle que nous voyons par une nuit étoilée : c'est la luminosité apparente. Elle varie selon l'endroit d'où nous regardons l'étoile. L'autre luminosité appartient à l'étoile et dépend de sa taille. Elle ne change pas quel que soit notre poste d'observation.

Coucou !
Non mais, pour qui elle se prend celle-là ?

Pourquoi le ciel est bleu ?

On a beau être poète et admirer en soupirant le ciel bleu de l'été, en fait, ce ciel, nous le voyons toujours à travers une vitre de 200 kilomètres d'épaisseur, celle de l'atmosphère terrestre.

L'atmosphère terrestre est une couche gazeuse, un peu comme une grande écharpe qui entoure la Terre et la protège des rayons du Soleil. C'est à cause d'elle que le ciel est bleu. En effet, elle laisse passer une des couleurs, la couleur bleue, parmi les sept qui se trouvent dans la lumière solaire.

Si l'on voit le ciel rouge au coucher du Soleil, c'est qu'à ce moment-là nous nous éloignons du Soleil. Sa lumière doit traverser une plus grande épaisseur d'atmosphère qui ne laisse alors passer que le rouge.

De toute façon, atmosphère ou pas, continuez donc à rêver le nez en l'air, le ciel, c'est si beau.

Est-ce qu'on peut me voler mon âme quand je dors ?

Il n'y a
que dans les films
de science-fiction que les méchants
entrent dans la tête des gentils
pendant leur sommeil. Dans la réalité,
quand on dort, le cerveau reste
bien actif et ne laisserait personne
le déranger sans nous réveiller.
Mais à quoi s'occupe-t-il ?

Tout d'abord,
il va informer les centres nerveux
de se mettre en veilleuse.
C'est la période du sommeil lent-léger.
Ensuite, il va donner ordre
à toute une troupe de cellules diverses
et variées de réparer le corps :
muscles, peau, os… Surtout,
il va permettre au corps de grandir,
car c'est à ce moment-là, et seulement
à ce moment-là, qu'est sécrétée
l'hormone de croissance.
C'est la phase du
sommeil lent-profond.

Enfin,
le cerveau fait le ménage,
mémorise, organise et tente
de résoudre les problèmes :
c'est le moment où nous rêvons.
C'est le temps du sommeil
paradoxal.

L'ensemble
de ces différentes phases
de sommeil dure près de deux heures
et se répète trois, quatre ou cinq fois
au cours de la nuit, en fonction
de nos besoins ! Il ne faut pas
avoir peur de dormir, car les rêves
ou les cauchemars ne sont dus
à personne d'autre
qu'à nous-même.

Point de voleur ou d'étranger,
juste les sentiments, les émotions
et les sensations de la journée
qui se mettent en images
pour que nous puissions mieux
les comprendre.

Pourquoi j'ai mal au cœur en voiture ?

« URGENCE,
arrêtez la voiture !
J'ai mal au cœur ! » Drôle d'expression
que ce « mal au cœur »
alors que l'organe en question n'a
rien à voir là-dedans.

J'ai les récepteurs qui délirent !

En voiture,
si l'on a parfois la nausée,
c'est que l'on ne pilote pas soi-même
le véhicule dans lequel on est transporté.
Le cerveau reçoit alors des informations
qu'il n'a pas prévues. C'est un peu
comme si nous bougions sans
sa permission alors que c'est lui
qui commande !

Nous avons
dans l'oreille interne
des petits récepteurs. Ils transmettent
au cerveau les changements
de position de la tête. Les vibrations,
les virages ou les accélérations
font réagir ces récepteurs,
et le cerveau a du mal à enregistrer
ces nouvelles informations.
Premier brouillage !

Ensuite,
les yeux n'arrivent pas
à photographier d'images nettes
à cause de ces mouvements
de tête imprévus, mais aussi
à cause de la vitesse. Le cerveau
reçoit des informations floues.
Deuxième brouillage !

Enfin, les capteurs
situés dans notre plante des pieds
servent habituellement à reconnaître
la nature du sol sur lequel notre corps
se trouve. Or, dans une voiture,
soit les pieds ne touchent pas
le plancher, soit, s'ils le touchent,
ce plancher est en mouvement…
Impossible donc pour le cerveau
d'analyser correctement la situation !
Troisième et dernier
brouillage !

Le « mal au cœur »
en voiture vient
donc des oreilles, des yeux
et des pieds qui grâce
à leurs récepteurs,
appareils photo ou capteurs
respectifs, transmettent
au cerveau des informations
que celui-ci a beaucoup de mal
à reconnaître,
car il ne les a pas
prévues.

Pourquoi les fleurs sentent-elles bon ?

Plantées
dans le sol, impossible
pour les fleurs de partir à la recherche
d'un mari pour faire des bébés fleurs !
Et si chacune d'elles porte
des organes reproducteurs mâles
et femelles, elles ne peuvent
malgré cela s'autoreproduire.

Il faut que le pollen
soit transporté sur une autre
fleur de la même espèce
pour qu'il y ait fécondation.
Elles sont donc obligées de faire
avec ce que la nature veut bien
mettre à leur disposition :
le vent et les insectes.

Les fleurs les plus timides,
celles qui en général
passent totalement inaperçues,
confient au vent le soin de disperser
leur pollen. On les appelle
les anémophiles.

Les autres,
les entomophiles,
sont de sacrées dragueuses !
Elles attirent les insectes avec
des couleurs vives et surtout
un parfum envoûtant. Leur pollen
est collant pour adhérer
plus facilement au corps des insectes
qui viennent les goûter. Gourmands
comme ils sont, ces insectes
passent de fleur en fleur,
mélangeant ainsi le pollen
pour permettre sans le savoir
la fécondation.

Mais il n'y a pas
que les insectes que ces parfums
attirent... Depuis des millénaires,
les hommes cherchent à reproduire
ces odeurs enivrantes
pour s'en recouvrir et s'attirer ainsi
les faveurs de leurs congénères
ou des dieux !

C'est quoi l'infini ?

Infini,
quel drôle de mot,
il s'étire sans fin,
comme un long serpent,
sans que personne
puisse lui mettre
de limites.

L'infini,
c'est bien difficile
à imaginer quand tout
ce qui nous entoure a justement
des limites : notre maison
a deux étages, le jardin
va du gros chêne à la clôture
du voisin, pour aller de la maison
à l'école, il faut marcher
cinq minutes.

Mais pour tout
ce qui se passe au-dessus
de nous, dans le ciel,
c'est plus compliqué.
Qu'y a-t-il au-delà
des milliards de galaxies ?
Où s'arrête l'espace, c'est-à-dire
l'étendue de l'Univers bien au-delà
de notre Terre ?
Est-ce qu'il se termine
quelque part ?

Depuis des siècles,
les scientifiques ont beau
construire des télescopes
de plus en plus puissants,
de plus en plus perfectionnés
pour voir de plus en plus loin,
rien à faire ! L'espace est tellement
grand qu'il est encore impossible
de savoir jusqu'où il va
et s'il a une limite. On a décidé
d'appeler infini justement
ce que l'on suppose
sans limites.

Peut-être qu'un jour
on découvrira où commence l'espace
et où il se termine, et l'on saura
alors qu'il n'est pas infini.
Mais pour le moment,
il garde ses distances…
illimitées !

très très
très loin
encore plus
loin
très loin
?
?
LOIN

Pourquoi les dents tombent quand on est petit ?

Les dauphins naissent
avec toutes leurs dents
mais comme ils en ont beaucoup (260)
si elles tombent, ce n'est pas
un problème ! Les serpents
et les crocodiles peuvent en changer
jusqu'à vingt-cinq fois au cours
de leur existence !

Quant à nous, humains,
nous avons plusieurs sortes
de dents adaptées à des fonctions
particulières et qui poussent
en deux séries successives :
les dents de lait, puis les dents
définitives.

Dès le deuxième mois
de vie de l'embryon, ces deux séries
se forment à l'intérieur de la gencive.
Leurs racines s'allongent jusqu'à faire
apparaître les premières dents
vers six mois après la naissance.
Et c'est justement l'âge
où le système digestif de l'enfant
est prêt à absorber des aliments
solides en complément du lait
maternel, d'où le nom de
« dents de lait ».

Mais la mâchoire
n'atteignant sa taille définitive
que vers 15 ans, impossible
de mettre au départ toutes
nos dents dans une si petite
bouche !

Quand
les quatre premières molaires
définitives apparaissent,
c'est le signal que la petite souris
ne va plus tarder. Les dents
de lait tombent pour laisser la place
aux dents définitives. Et vers
15 ans, on a toutes nos dents,
sauf les dents de sagesse
qui peuvent pousser
beaucoup plus tard,
voire jamais.

Pourquoi les sorcières sont toujours méchantes dans les histoires ?

Le nez
et les ongles crochus,
le menton poilu et les cheveux hirsutes,
les sorcières des contes lancent
des sorts, croquent les enfants
et transforment les princes
en crapauds.

Elles jouent bien leur rôle :
faire peur dans les livres
pour que l'on ait moins peur
dans la vie.

Il paraît aussi
que lire des histoires horribles
permet de se défouler
et de se débarrasser de ses pensées
monstrueuses. Les sorcières
représentent notre mauvais côté
ou celui de quelqu'un
d'autre.

Par exemple,
on aimerait bien se débarrasser
de sa petite sœur ou d'une maman
en colère qui gronde et punit.
Tant mieux donc si la sorcière fait
bouillir la marmite à notre place
pour cuire la petite sœur !

Et puis, si les sorcières
sont méchantes, c'est pour que
le gentil triomphe. Comme le lecteur
pense en général que c'est lui
le héros généreux ou la super héroïne
du livre, qui fait toujours le bien,
et que c'est plutôt sa voisine
la méchante sorcière, finalement
les sorcières méchantes nous
rendent gentils.

Évidemment,
quand la sorcière est gentille
les rôles s'inversent, elle devient
l'héroïne et nous nous identifions
alors sans problème à cette
si charmante sorcière !

Pourquoi il y a des gens qui ont peur de passer sous une échelle ?

Si, souvent,
nous ne passons pas
sous une échelle par peur
de recevoir un pot de peinture
ou tout autre objet non identifié,
pour certains, passer
sous une échelle porte
malheur.

En franchissant
l'espace sacré du triangle
formé par l'échelle, le mur et le sol,
ils ont peur de rompre le nombre
magique 3, correspondant
à chaque point du triangle.
Le chiffre 3 représente en effet,
pour de nombreuses cultures,
la perfection qui ne peut être détruite.
On appelle une telle attitude
de la superstition.

Superstition
vient d'un mot latin,
superstitio, qui veut dire
croyances.

Croiser un chat noir,
être treize à table ou renverser
une salière, toucher du bois,
trouver un trèfle à quatre feuilles,
jouer au loto le vendredi 13,
c'est croire que des actions,
des couleurs, des animaux,
des jours, des objets, peuvent
être porteurs de chance
ou de malchance
et changer ainsi le cours
des événements.

C'est attribuer aux choses
des pouvoirs magiques
qu'elles n'ont pas...
Cela se saurait !

Comment on peut vivre quand quelqu'un qu'on aime est mort ?

On ne peut pas
empêcher la mort
de ceux que l'on aime.
Et, aussi fort que vous puissiez
les aimer, aussi douloureuse
que soit leur perte et aussi infinie
votre tristesse, ce sont eux
qui cessent de vivre,
pas vous.

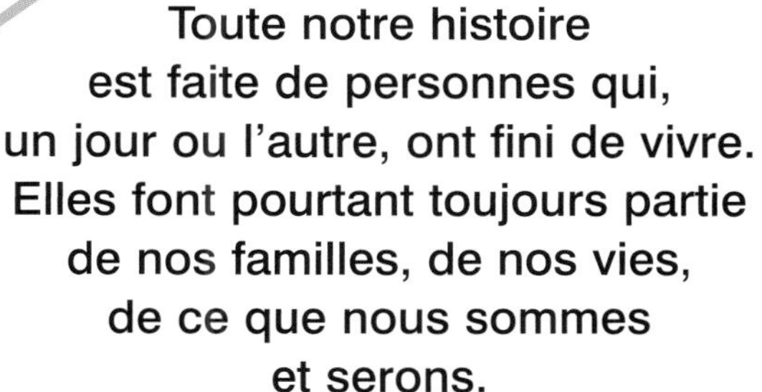

Toute notre histoire
est faite de personnes qui,
un jour ou l'autre, ont fini de vivre.
Elles font pourtant toujours partie
de nos familles, de nos vies,
de ce que nous sommes
et serons.

Jusqu'au
dernier moment,
personne ne peut prévoir
quand il cessera de vivre.
Et personne ne sait non plus
ce qu'il se passe
après la mort.

C'est parce qu'elle est
une grande inconnue
que la mort fait peur.
Mais nous pouvons nous aider
les uns les autres à surmonter
cette peur, en profitant
de la vie justement !
Pour se rencontrer, se parler,
pour s'aimer et pour
se préparer.

La mort d'un être
n'en tue donc pas un autre,
au contraire, elle doit renforcer
le désir de vivre pour
ne pas oublier.

Pourquoi les hommes préhistoriques avaient-ils plus de poils que nous ?

Parce qu'en vivant tout nu,
sans abri et sans feu, les poils
étaient essentiels pour survivre au froid
Mais il y a bien longtemps
que nous vivons au chaud,
et notre belle fourrure a disparu
au cours de notre évolution !
Alors pourquoi nous reste-t-il
tout de même plus de cent millions
de poils sur tout le corps ?

À l'exception
des cheveux et des cils
et sourcils, les poils sont
à notre naissance un léger duvet.
À la puberté, ils deviennent plus épais
et plus foncés. Leur vitesse
de croissance ainsi que leur durée
de vie varient en fonction de notre âge,
de notre sexe et des différentes
parties de notre corps.

La base du poil
est associée à une glande sébacée.
Ce petit sac génère une substance
graisseuse, le sébum, qui sert à assouplir
et imperméabiliser la peau, à empêcher
les bactéries d'y pénétrer, et contribue
également à maintenir stable
la température du corps.
Quel programme !

« Arrête de dire ça !
Ça m'horripile ! » Une phrase
que vous connaissez peut-être ?
Eh bien, sous l'effet du froid, de la peur,
de la colère ou d'une émotion forte,
le petit muscle du poil se contracte,
c'est l'horripilation
ou la chair de poule !

Il y a quelques
millions d'années, lorsque
nous étions encore tout poilus,
en se dressant de la sorte,
nos poils servaient à impressionner
nos ennemis. Et le saviez-vous ?
Les piquants du hérisson
sont aussi des poils !

Je devrais aller chez l'esthéticienne moi !
pshiiii

Pourquoi les parents travaillent tout le temps ?

Partis
dès 8 heures du matin,
rentrés souvent après 19 heures,
cinq jours par semaine...
cela serait bien si les parents
étaient toujours
en vacances !

À quoi
cela sert de travailler
tout le temps si on ne voit pas
ses enfants ? Ce n'est pas une vie,
même si l'on aime
son travail !

D'accord,
mais parfois on ne peut
vraiment pas faire autrement.
Qui dit travail dit salaire, et salaire,
argent et pouvoir acheter ce qu'il faut pour
se nourrir, se soigner, se loger, se divertir,
se déplacer, élever ses enfants,
les envoyer à l'école pour qu'eux-mêmes
acquièrent un métier et travaillent...
Notre système économique
est ainsi fait.

Pour
nos lointains ancêtres,
il y a trente mille ans,
deux jours de chasse ou de
cueillette par semaine suffisaient
à nourrir la maisonnée. Et même si
aujourd'hui le temps de travail diminue,
il est difficile de revenir en arrière
et de vivre uniquement de chasse
et de cueillette !

Ne vivre
que pour son travail et revenir
avec des dossiers rebondis à la maison
n'est pas non plus la solution. Un juste équilibre
entre temps de travail et temps à passer ensemble
devrait permettre d'aller en toute tranquillité
à la chasse aux papillons et à la cueillette
des champignons... avec
ses enfants.

Comment sait-on quel métier on veut faire ?

Autrefois, la question d'un futur métier ne se posait pas. On suivait la tradition familiale. Fils de paysan, paysan. Et dans les « grandes familles », le fils aîné reprenait les terres, le deuxième partait à la guerre et le troisième était confié à l'Église.

Quant aux filles, on les mariait sans leur demander leur avis avec le fils d'une famille du même milieu. À quelques très rares exceptions près, il était donc difficile d'échapper à un destin tout tracé.

Aujourd'hui, tout a changé. Il y a tellement d'études possibles et de métiers différents que le choix est compliqué et les barrières multiples.

Certains ont la chance d'avoir une vocation. Une passion si obstinée pour un métier qu'ils sont prêts à déplacer des montagnes pour y arriver. D'autres peuvent faire une rencontre décisive au cours de leurs études ou dans leur vie. Mais, pour la plupart, il s'agit plutôt du hasard.

La curiosité n'est pas un vilain défaut quand il s'agit de son avenir. Plus vous poserez de questions sur leur métier aux personnes qui vous entourent, plus vous aurez d'idées.

Il n'y a pas de recette miracle pour savoir quel métier on veut faire, mais une chose est certaine, meilleurs sont les résultats scolaires, plus le choix est large.

Pourquoi ressemble-t-on aux singes ?

Singe ou pas singe ?
Suffit-il à l'homme de faire
des grimaces pour ressembler
à un petit singe ? Voilà une question
qui passionne les scientifiques
depuis cent cinquante ans,
lorsqu'ils ont découvert
les premiers fossiles humains
datant de plusieurs millions d'années
Aurait-on une origine commune
avec les chimpanzés ?
Un lien de parenté
en quelque sorte.

C'est vrai
qu'il y a certaines ressemblances
troublantes entre eux et nous :
les grands singes se tiennent
debout, se servent de leurs mains,
savent fabriquer des outils
et s'adapter à des situations
nouvelles, tout comme nous.

En revanche, nous,
nous sommes bien incapables,
faute d'entraînement sans doute,
de sauter de liane
en liane !

Ce qui nous différencie
extérieurement, c'est certainement
la forme de la face, la fourrure,
la façon de se tenir debout
mais aussi le comportement
avec les autres membres de l'espèce.
Les singes communiquent entre eux
par signes et grognements
de différentes intensités.
L'homme parle, il a
un langage articulé.

Mais la principale différence
est de taille : l'homme est conscient
d'être conscient. Lorsqu'il agit,
il sait ce qu'il fait et pourquoi il le fait
L'homme est capable de penser,
de réfléchir, de se souvenir
et d'anticiper ce qui va arriver !
Alors, si l'homme
n'était qu'un singe évolué…
Quelle évolution !

Pourquoi y a-t-il de la vie sur la Terre ?

Lorsque la Terre s'est formée il y a 4,6 milliards d'années, elle n'était qu'une grosse boule rouge de roche en fusion. Il lui a fallu quelques millions d'années pour se refroidir et que se forme autour d'elle une enveloppe nuageuse : l'atmosphère.

Véritable couche protectrice, l'atmosphère empêche la Terre de brûler la journée à cause de la chaleur intense du Soleil, ou de congeler la nuit. C'est aussi dans l'atmosphère que se créent tous les phénomènes météorologiques. C'est ainsi qu'un milliard d'années après la formation de la Terre, la pluie se mit à tomber sans interruption pour former les premiers océans.

C'est grâce à cette eau et à son apport en oxygène qu'ont pu apparaître de microscopiques bactéries qui ont évolué en d'innombrables espèces vivantes. La Terre est la seule planète de notre système solaire à être recouverte d'eau à 70 %.

Les astronomes ont pu observer des traces de cours d'eau asséchés sur Mars ou le manteau de glace d'Uranus, mais jamais d'eau en quantité suffisante pour permettre la vie.

Mais qui sait, un jour peut-être, beaucoup plus loin dans l'Univers, trouverons-nous de nouveaux voisins ?

Pourquoi il y a des riches et des pauvres ?

Chacun
peut le constater :
il y a des pays riches
et des pays pauvres et, dans ces pays
des hommes riches et des hommes
pauvres. Mais cette différence
entre les uns et les autres
existe-t-elle depuis l'origine
de l'humanité ?

Certains prétendent
que tout a commencé
le jour où un homme a mis
une barrière autour d'un petit bout
de terrain en décrétant :
« Ceci est à moi ! » Ensuite,
c'est le désir de posséder
toujours plus qui entraînerait
une inégalité
de richesses.

Et pour finir,
les droits les plus élémentaires
dus à chaque être humain –
se nourrir, se loger, travailler, se soigner
et s'éduquer – ne sont pas respectés.
Nombreux sont ceux
qui ne mangent pas à leur faim,
n'ont pas de logement,
d'emploi, de médicaments,
et ne peuvent aller
à l'école.

L'histoire montre
comment des pays en ruinent
d'autres pour s'enrichir,
sans se préoccuper
de ce qu'il advient des hommes.
C'est souvent pour conquérir
de nouveaux territoires
ou pour exploiter des ressources
naturelles qui ne leur
appartiennent pas.

Si les causes particulières
de la pauvreté sont multiples,
personne pourtant ne peut accepter
que les pauvres restent pauvres
et que les riches soient de plus
en plus riches. Chaque pays
doit se préoccuper d'une répartition
plus juste des richesses entre
tous ses habitants. Et les pays
riches ont l'obligation, eux,
de favoriser le développement
des pays pauvres. C'est cela
la solidarité !

Pourquoi les grands-parents ont-ils les cheveux blancs ?

Tout comme la couleur de la peau,
la couleur des cheveux dépend
de la quantité de colorant brun, la mélanine,
que fabriquent certaines de nos cellules
pour nous protéger des rayons nocifs
du soleil.

Plus nos cellules
contiennent de mélanine,
plus nos cheveux sont foncés.
Ainsi, la palette de couleurs est large
et s'étend du noir au jaune pâle
avec toutes les nuances
possibles.

Avec l'âge,
souvent vers 40 ans,
les cellules deviennent paresseuses,
et la production de mélanine
diminue. Les cheveux perdent
progressivement leur couleur.
Ils deviennent gris,
puis blancs.

Il arrive
que certaines personnes
aient les cheveux blancs très jeunes,
c'est dans la plupart des cas
dû à un choc émotionnel grave
qui dérègle le système avant l'heure.
Parfois, c'est tout simplement
que la production de mélanine
a cessé très rapidement.

Est-ce que Dieu a créé les hommes pour de vrai ?

Depuis des millions d'années, les hommes se demandent d'où ils viennent. À qui ou à quoi doivent-ils leur existence ? À leurs parents ! Et leurs parents ? À leurs parents ! Et ainsi de suite…

Mais on a beau essayer de remonter dans le temps jusqu'au premier homme, la question reste toujours la même : lui, le premier homme, d'où vient-il ?

Certains ont pensé qu'en découvrant comment sont apparues sur Terre les différentes espèces on pourrait enfin savoir comment est apparu le premier homme.

Aujourd'hui, on sait qu'il n'y a jamais eu un premier homme, mais bien des premiers hommes issus d'une même espèce, celle des primates, à la suite d'une longue évolution des êtres vivants : poissons, amphibiens, reptiles et puis oiseaux ou mammifères.

Comment passe-t-on d'une espèce à une autre ? Voilà ce que cherchent les scientifiques. Mais leurs théories, leurs expériences et leurs observations ne répondront jamais à la question de savoir si c'est un dieu ou non qui a créé les hommes.

De nombreux mythes dans des cultures et des religions bien différentes ont raconté que les hommes avaient été créés par Dieu. Mais ce n'est pas pour faire concurrence aux scientifiques ni répondre à leur place.

En réalité, les uns et les autres ne se posent pas la même question. Les scientifiques se demandent comment les hommes sont apparus. Les auteurs des textes religieux pourquoi tout ce qui existe, existe, et les hommes en particulier ? Les auteurs des textes de la Bible, par exemple, ont pensé que tout ce qui existe est création de Dieu.

pfff!
Encore raté!
l'homme

À quel âge on est amoureux ?

Bien malin
celui qui pourrait répondre
à cette question, car il n'y a pas d'âge
pour être amoureux. Éprouver
un sentiment amoureux
fait partie de la nature même
de l'être humain, et ça commence
dès la naissance.

Mais comment
distinguer l'amour amoureux
du coup de foudre amical
ou de la fascination pour un être
que l'on admire ? C'est une question
de temps, de réflexion
et d'expérience.

Vouloir ne faire qu'un
avec une autre personne,
comme les bébés qui sont dans le ventre
de leur mère, c'est confondre l'amour
et la fusion. Vouloir être seul au monde
dans la vie de l'autre, c'est oublier
qu'en amour comme en amitié le respect,
la confiance et la liberté sont
indispensables. Alors ?
Alors, les coups de foudre existent
mais l'amour se construit.

Il est improbable
de grandir sans traverser
un ou plusieurs chagrins d'amour.
Mais il faut savoir que ces chagrins
de jeunesse s'effacent et font partie
du chemin qui mène
vers l'âge adulte.

Et, quoi qu'il arrive,
l'amour sous toutes ses formes,
c'est ce qui donne un sens
à la vie, quel que soit
l'âge.

Pourquoi le feu me brûle-t-il ?

C'est à l'*Homo erectus*,
notre lointain ancêtre,
que nous devons la découverte du feu
il y a 500 000 ans ! Ou plutôt la façon
de le faire démarrer ou de le maîtriser,
car le feu existait bien avant nous !
Mais le feu, c'est quoi ?

Le feu est un dégagement
à la fois de lumière, de chaleur
et de flamme, provoqué
par une matière qui se consume.
Ce peut être du bois, du charbon
ou du gaz, mais aussi bien
une couverture, un livre
ou notre main !

Le feu
est un grand « ogre »
prêt à tout dévorer sur son passage.
On peut passer le doigt à toute vitesse
à travers la flamme d'une allumette
sans rien ressentir, mais pas question
de l'y laisser ne serait-ce
qu'une seconde sans se brûler.
Notre peau est résistante
à la chaleur, mais jusqu'à
un certain point
seulement.

Chaque année,
des centaines de milliers de gens
se brûlent plus ou moins gravement.
Souvent à cause de sources de chaleur
intense dont ils ne se sont pas méfiés :
le lait qui déborde de la casserole,
un fer à repasser oublié ou une exposition
trop longue au soleil. Quel que soit
son degré, une brûlure est grave,
et il faut agir vite.

Alors,
si la maîtrise du feu
a largement contribué
à notre évolution,
rien ne sert pour autant
de jouer les petits « Vulcain »
ou autres dieux du feu,
c'est extrêmement
dangereux !

Pourquoi les planètes sont-elles rondes ?

Et pourquoi
les étoiles n'auraient pas
la forme d'étoiles justement,
et les planètes de cubes ou
de chapeaux pointus ?

Parce que,
dans l'espace, tout tourne
autour de la gravitation,
cette force d'attraction qui fait
que tous les corps s'attirent
mutuellement.

La forme de sphère
est celle qui permet
à toutes les parties d'être
le plus proches les unes des autres.
Dans un cube, les coins seraient
défavorisés car plus éloignés
du centre.

C'est donc
spontanément
qu'en se rapprochant
les corps se mettent en boule.
Un peu comme les gens
qui vont naturellement se mettre
en cercle autour de quelqu'un
pour mieux le voir.

À quoi ça sert de mourir ?

Tout ce qui existe
dans la nature se dégrade,
vieillit et disparaît. Ce qui est vivant
meurt. Les scientifiques ont beau
nous dire que l'on pourra bientôt
etarder le vieillissement des cellules,
réparer leurs lésions, rien n'y fait,
un jour nous mourrons. Mais à quoi
cela sert-il de mourir ?

Pourquoi
cela serait-il utile ?
Évidemment, si tous les hommes
étaient encore en vie depuis
sept millions d'années, on n'aurait
plus tellement de place sur Terre.
Mais on ne peut pas justifier la mort
uniquement par une question
de place et de renouvellement
des générations.

Bien que l'on ne sache
pas finalement
à quoi cela sert de mourir,
on peut pourtant
chercher à apprivoiser
la mort.

Selon
de nombreuses
cultures et religions,
la mort n'a pas le dernier mot.
Malgré la disparition physique
de celui qui est mort, son âme
continue à vivre ou peut
se réincarner, c'est-à-dire
revenir dans un autre corps
pour vivre une nouvelle vie :
c'est ce que croient
les hindous.

En Afrique,
ceux qui sont morts permettent
à ceux qui vivent sur Terre
d'entrer en communication
avec le monde
de l'au-delà.

Dans d'autres religions,
la mort n'est qu'une étape,
un passage nécessaire pour entrer
en relation avec le monde divin,
avec Dieu.

Pourquoi on n'est pas tous pareils ?

Peau foncée, peau claire, yeux bridés ou ronds, verts, bleus ou marron, les individus ne se ressemblent pas vraiment, même les jumeaux. Voilà justement ce qui passionne la génétique ou science des gènes : découvrir ce qui fait que chacun de nous est unique en son genre.

Nos gènes sont les petits supports de l'hérédité à l'intérieur des cellules qui constituent notre corps. L'ensemble des informations contenues dans les gènes de chaque individu ressemble à un petit livre où serait inscrite sa recette de fabrication, pour lui et non pour quelqu'un d'autre. C'est ce que l'on appelle sa carte génétique.

Si le climat, ce que l'on mange, les lieux où l'on habite peuvent modifier notre aspect physique – les hommes des pays de grands froids ne ressemblent pas à ceux qui vivent sous des chaleurs intenses –, on ne trouve pas pour autant de gènes spécifiquement asiatiques, africains, européens, indiens ou océaniens.

Toute l'espèce humaine a les mêmes gènes, mais certains apparaissent plus fréquemment selon le groupe humain auquel on appartient et qui transmet ses caractères héréditaires.

Quelle chance alors de se ressembler tout en étant différents ! Seuls les objets peuvent être identiques.

quel cauchemar!!
quel cauchemar!!
quel cauchemar!!
quel cauchemar!!
quel cauchemar!!
quel cauchemar!!
quel cauchemar!!

Pourquoi les tomates sont-elles rouges ?

Parce qu'elles sont bien mûres, voilà tout ! Sans doute, mais pourquoi voyez-vous les tomates rouges ? Ce n'est pas si simple…

La couleur d'un objet dépend en réalité de trois choses : de la nature de cet objet, de la lumière qui l'éclaire et de votre œil qui le regarde.

Petite expérience : si vous exposez une tomate à la lumière blanche, celle du soleil qui contient sept couleurs principales – rouge, orangé, jaune, vert, bleu, indigo et violet –, que se passe-t-il ? La tomate absorbe, comme une éponge absorberait une goutte d'eau, toutes les couleurs, sauf le rouge. On dit alors qu'elle renvoie le rouge de la lumière blanche. Donc vous, vous voyez la tomate rouge !

Maintenant, éclairez la même tomate avec une lumière verte. Que se passe-t-il Vous avez l'impression que la tomate est noire ! Pourquoi ? Comme la lumière verte éclairant la tomate ne contient pas de rouge, la tomate ne renvoie aucune couleur. Or l'absence de couleur donne du noir.

Pourquoi les petits veulent-ils toujours faire comme les grands ?

Les grands,
c'est vrai que cela les énerve
de voir les petits faire toujours
comme eux ! Sauf que les grands,
sans s'en apercevoir, eux aussi
imitent des plus grands qu'eux :
leurs parents, des héros vrais
ou faux, des gens célèbres,
religieux ou sportifs.

Mais pourquoi
vouloir faire comme quelqu'un ?
Aujourd'hui, les psychologues
expliquent qu'un tout petit,
pour se construire, a besoin
de modèles sur lesquels
il peut calquer son
comportement.

C'est en imitant
ses aînés qu'il apprend
un certain nombre de repères,
ce qu'il est bien ou mal de faire,
dangereux ou non.

Lorsqu'il sera plus grand,
bien souvent l'enfant
continuera à suivre ces modèles,
les adaptera à sa personnalité
ou bien encore les rejettera
pour en inventer
d'autres.

Mais en attendant,
pour les plus petits l'aventure
est du côté des grands,
c'est tellement plus
passionnant !

Pourquoi on n'est pas tous de la même couleur ?

Pour les spécialistes,
nous sommes tous de la même couleur !
Car, vues au travers d'un microscope,
toutes les peaux contiennent des cellules
remplies d'une même substance brune :
la mélanine, un pigment dont le rôle
est de nous protéger des rayons nocifs
du soleil. Plus le soleil brille,
plus la mélanine
est activée.

Il y a quelques
millions d'années,
les premiers hommes
habitaient l'Afrique,
où le soleil brille intensément.
Leur peau était très foncée,
car bien adaptée
au climat.

En partant à la conquête
de nouveaux territoires
sur des continents moins ensoleillés,
les différentes populations
n'ont plus eu besoin
d'autant de protection,
et leur peau s'est éclaircie
avec le temps.

Si le même pigment
est présent
dans toutes les peaux,
sa quantité varie donc
en fonction de notre origine
ethnique.

Les personnes
à peau claire adorent
se dorer au soleil
mais attention, danger !
Car si la nature nous a dotés
de cette protection naturelle,
la mélanine n'empêche pas
les brûlures, et notre
meilleure protection reste
celle qui se trouve en pots :
la crème solaire !

Pourquoi y a-t-il la nuit et le jour ?

Faites vous-même
une petite expérience :
enfermez-vous avec un ballon
dans une pièce sombre. Posez le ballon
par terre devant une lampe torche
allumée. Faites tourner le ballon
sur lui-même et observez ! La partie
du ballon qui passe devant
la lampe est éclairée
et l'autre non !

Et il en va de même
pour nos jours et nos nuits.
La lampe, c'est le Soleil, une sorte
d'énorme spot qui ne s'éteint jamais,
et le ballon représente
la Terre.

Elle tourne
sur elle-même,
d'ouest en est, à la vitesse
de 1 600 kilomètres à l'heure
en vingt-quatre heures,
et chaque fois qu'une partie
passe devant le Soleil, c'est le jour,
et, par conséquent, la nuit pour
le reste du monde.

Ce n'est donc pas le Soleil
qui se lève ou se couche
mais nous qui lui tournons
le dos ou pas.

Pourquoi on apprend à l'école des choses qui ne servent à rien ?

Pas facile de décider
qu'une chose est utile ou non !
Une leçon peut vous paraître inutile
à retenir maintenant, mais pouvez-vous
affirmer qu'elle ne vous servira pas
dans cinq ans ?
Qu'est-ce qui nous est
vraiment utile :
savoir lire et compter ?
Un peu juste, non ?

Ce que l'on apprend
à l'école, ce sont les connaissances
indispensables pour comprendre
l'Univers, les hommes et les techniques
qu'ils ont inventées. Plus tard,
ces bases nous permettront,
selon ce qui nous intéresse ou non,
de choisir un métier.

Certaines
leçons apprises
nous serviront moins que d'autres,
mais elles auront eu l'avantage
de nous rendre curieux,
de nous ouvrir l'esprit et parfois
de nous donner les bonnes méthodes
pour apprendre, résoudre
un problème, s'adapter
à une nouvelle situation
ou être sensible
à l'art.

Tous ces petits bagages
pour s'aventurer dans la vie,
nous aurions bien du mal
à les découvrir seul. Nous avons
besoin de professeurs pour
les comprendre, les retenir,
les expliquer. C'est grâce à ce savoir
transmis que nous pouvons parler
les uns avec les autres, penser,
réfléchir ensemble, inventer,
vivre en société.

En un mot,
ce savoir va nous permettre
de voir un peu plus loin
que le bout
de notre nez !

Mais oui bien sûr !
Tout s'éclaire enfin
L'univers, l'humanité, les techniques...

Pourquoi les portes se ferment ?

Une petite fenêtre,
une porte, exposées au soleil…
Dans les villages, autrefois,
les maisons avaient peu d'ouvertures
à cause du froid et des voleurs
mais aussi parce que l'on devait payer
un impôt selon le nombre de portes
et de fenêtres que possédait
son habitation. Souvent la porte
était composée de deux morceaux.
On ouvrait juste le haut
pour donner du jour.

Mais pourquoi les portes
se ferment-elles ? Un espace clos
est rassurant et plus intime,
il permet de s'isoler. On ferme sa porte
pour protéger son petit univers,
ce qui est bien à soi. C'est une façon
d'indiquer aux intempéries, voleurs,
inconnus ou indiscrets de passer
leur chemin !

Dans certains pays chauds
et humides, comme chez les Indiens
d'Amazonie, il y a des maisons
sans portes. Elles sont construites
avec des piliers de bois coiffés
d'un toit de palmes tressées.
Cette fois, ce sont les courants d'air
qui sont les bienvenus.
Et, pour être tranquille, on s'enferme
dans son hamac !

Pourquoi les histoires pour les enfants ne sont pas vraies ?

Comment cela ?
Les citrouilles qui se transforment
en carrosses, les baguettes magiques
et les princes charmants,
tout cela n'est pas vrai ?
Ce ne sont que des histoires
destinées à endormir
les enfants ?

Eh oui !
On a beau trembler
avec l'héroïne et pleurer
avec le héros, s'embarquer
sur des bateaux de pirates
ou délivrer la planète Z 44,
les personnages de toutes
ces histoires sortent
de l'imagination de ceux
qui les écrivent.

Une histoire imaginaire
ne se réalise jamais.
On dit qu'elle est fictive.
Elle n'est pas conforme à la réalité
parce que les personnages n'existent
pas comme vous et moi dans la vie
de tous les jours. Aucune histoire
n'est vraie, elle ne peut que
plus ou moins correspondre
à la réalité.

Mais imaginons
qu'à partir de demain
tous les héros, monstres
ou princesses existent vraiment !
À quoi pourrions-nous rêver ?
Que pourrions-nous
inventer ?

Pas plus mal
finalement
que personne
n'ait encore vu
les lutins des histoires
se promener
en chair et en os
dans la forêt
ou dans la rue !

Pourquoi les parents finissent-ils toujours par savoir qu'on a fait une bêtise ?

Et si vos parents avaient
un « troisième œil »,
une sorte de caméra invisible
capable de surveiller
tout ce que vous faites
quand ils ne sont pas là ? Non !
Mais alors, comment font-ils
pour toujours tout savoir ?
Ils regardent,
c'est tout !

Et c'est vrai
qu'il n'est pas très difficile
de déduire que vous vous êtes servie
du vernis à ongles quand il y en a
des traces sur la moquette !
Pas compliqué non plus de savoir
que vous avez joué dans la paille
quand vous vous déshabillez le soir
et que vos chaussures
en sont pleines !

Et si
vous les accueillez
tout gentil et serviable,
ils ne peuvent s'empêcher
de se douter que vous avez quelque
chose à cacher… Plus ils vous voient
vous tortiller, rougir et bredouiller
en répondant à leurs questions,
ou lancer des regards inquiets,
plus ils sont certains
qu'une bêtise
a été commise !

Point donc
de « troisième œil »
ou de caméra invisible,
les parents sont avant tout
de grands observateurs !
Mais s'ils devinent souvent,
ils ne savent pas
tout !

Et dans quelques années,
lorsque vous leur raconterez
vos souvenirs d'enfant,
soyez assuré qu'ils auront
quelques surprises…

À quoi cela sert de faire une prière ?

La prière,
c'est une parole adressée
à un destinataire qui se trouve
dans un autre monde
que celui dont nous avons l'expérience.
On peut prier Dieu
ou des êtres divins, des ancêtres,
des puissances surnaturelles
pour communiquer
avec eux.

Chaque religion
a ses rites avec des gestes précis,
des vêtements particuliers
et des lieux sacrés pour prier :
temple, église, pagode, forêt,
synagogue, mosquée. Il y a aussi
des temps de prières fixés
par un calendrier. Ce n'est pas
la prière elle-même
qui a un pouvoir mais toujours
celui ou celle à qui
elle est adressée.

Que l'on prie seul
ou avec d'autres,
la prière a un but, une intention.
Un peu comme un appel,
elle demande une réponse.
Et l'on espère que sa prière
sera exaucée.

Les raisons
que l'on a de prier sont bien
différentes. Par exemple,
on peut prier pour obtenir
quelque chose d'heureux
ou pour éviter un malheur, pour
réussir un examen, pour guérir
d'une maladie, pour gagner
de l'argent, pour se protéger
de ses ennemis.

Mais, le plus souvent, prier,
c'est dialoguer avec Dieu,
pour vivre différemment.

Pourquoi on ne parle pas tous la même langue ?

Les spécialistes du langage distinguent langage et langue. Le langage est l'ensemble des moyens d'expression – sons, gestes, signes – qui nous permet à nous les humains de communiquer entre nous. La langue est un ensemble de mots propres à une communauté de personnes.

Français, Chinois, Berbère, Inuit, on ne parle pas tous la même langue parce que l'on appartient à des communautés différentes. Pourtant, des sons et une structure des mots semblables prouvent que certaines langues distinctes ont une même origine.

Les langues ont évolué ou se sont modifiées au contact les unes des autres. Ainsi, le français, l'italien, l'espagnol, le sanskrit et bien d'autres encore appartiennent à la langue commune indo-européenne. Il y aurait cent familles de langues différentes dans le monde.

Si le langage est inné, les langues sont apprises. Les hommes ont toujours rêvé de parler la même langue, et certains ont proposé différentes langues inventées ou utilisant des mots de toutes les langues, mais sans succès. La langue anglaise, en revanche, est aujourd'hui la plus utilisée dans les échanges internationaux.

Et la parole ? On se sert d'une langue pour parler, c'est un moyen pour exprimer ce que l'on veut dire. Personne ne peut parler à ma place et chacun a le droit à la parole, quelle que soit la langue dans laquelle il s'exprime.

À quoi cela sert de mettre les gens en prison ?

Si tout était permis,
il n'y aurait plus de justice.
Chacun ferait ce qu'il lui plaît
sans aucun respect des autres.
Les plus forts écraseraient bien vite
les plus faibles. C'est pourquoi
lorsque l'on commet volontairement
une faute grave contre autrui
– vol, viol, agression, meurtre –,
cette faute est sanctionnée.

Une des sanctions possibles,
c'est être privé de liberté.
Si la société considère,
après avoir jugé ses actes,
que quelqu'un menace la vie,
la sécurité et les biens d'autrui,
elle le met en prison pour une durée
déterminée selon la gravité
de la faute. En le mettant ainsi à l'écart,
elle se protège et elle punit
celui qui n'a pas respecté
les lois.

Être privé
de la liberté d'aller, de venir,
d'agir, de communiquer à l'extérieur
et de ses droits de citoyen
est considéré par la justice
comme une réparation possible
du mal qui a été fait aux victimes.
Si la faute est tellement grave
qu'elle ne peut avoir de réparation,
celui qui l'a commise
est enfermé à perpétuité.
C'est-à-dire durant
toute sa vie.

Pourquoi les araignées font peur ?

Toujours prêtes
à sortir de leur cachette
avec leurs huit pattes velues… Brrr !
Rien que d'imaginer
qu'elles puissent venir vous mordre
avec leurs crochets à venin
pendant votre sommeil et
vous tremblez !

C'est vrai,
les araignées n'ont pas
bonne réputation. Mais peut-être
faut-il les connaître, sans préjugés,
pour les apprivoiser !

D'accord,
les araignées sont carnivores,
mais elles ne se nourrissent pas
de notre sang comme les moustiques
dont elles nous débarrassent.
Elles ne dévorent que des insectes
ou des crustacés.

Bien sûr,
les araignées ont
des glandes à venin et des crochets
pour mordre et immobiliser
ou tuer leur proie, mais n'exagérez rien !
Vu la taille de l'animal, la quantité
de venin est ridicule. Mis à part
certaines espèces dangereuses
que vous ne risquez pas de rencontrer,
car elles vivent dans des pays
très lointains, leur morsure
n'est pas mortelle.

Vous n'êtes pas rassuré ?
Vous vous demandez pourquoi
elles nous piquent la nuit
quand même alors qu'on dort
et qu'on ne les agresse donc pas ?
Tout simplement le hasard des rencontres
L'araignée ne cherche pas spécialement
votre mollet mais, puisqu'il est là,
autant en profiter !

bllllll

Pourquoi dit-on qu'on va au ciel alors qu'on nous enterre ?

Depuis toujours,
les hommes ont imaginé
que le ciel était la demeure des dieux
parce qu'il se trouvait « en haut »,
au-dessus d'eux, avec le Soleil
si puissant, la foudre redoutable
et les étoiles qui permettaient
de se repérer.

D'autres peuples
ont comparé le Ciel à un père
et la Terre à une mère.
Si nos ancêtres avaient peur
que le Ciel ne leur tombe sur la tête,
la Terre était parfois crainte à cause
du monde souterrain peuplé
d'êtres malfaisants capables
de retenir les morts
prisonniers.

Lorsque l'on enterre
celui qui est mort,
qu'on le met dans la terre,
on dit, selon la religion chrétienne,
que son esprit quitte le monde
d'ici-bas pour monter là-haut, au Ciel
En réalité, c'est une image
pour signifier qu'il rejoint
Dieu.

Dans les religions
où il ne faut pas prononcer le nor
de Dieu par respect pour lui,
on emploie aussi le mot ciel
pour parler de Dieu.

Cette expression,
« aller au ciel », est restée
dans le langage courant.
Mais personne, une fois enterré,
ne va habiter dans le ciel
planétaire.

Pourquoi y a-t-il des gens qui ont plus mal que d'autres pour la même blessure ?

C'est le cerveau
qui se trouve aux premières loges
du contrôle de la douleur !

Les récepteurs tapis
sous notre peau, dans nos muscles,
nos articulations ou nos viscères
réagissent au quart de tour à la chaleur
ou au froid intense, à une pression
trop forte ou à une blessure,
et font voyager la douleur
des moindres recoins
de notre corps
jusqu'à la moelle épinière –
centre nerveux transmettant
les informations entre le cerveau
et le corps – à la vitesse de 30 mètres
par seconde. En cas de maladie,
ce sont les cellules du sang et
du système immunitaire qui agissent
sur ces récepteurs et provoquent
la douleur.

Mais si certains
sont des douillets et d'autres
des durs à cuire, c'est plus
une question de mémoire,
le souvenir d'une douleur
déjà ressentie, d'éducation,
de stress ou de peur,
que de nombre ou de qualité
des récepteurs.

Normal que l'on déteste
aller chez le dentiste ou recevoir
une poussière dans l'œil,
les récepteurs y sont
en concentration maximale :
un par millimètre
dans l'œil ou la dent !

Il n'y a pas de honte à avoir mal
et à le dire, mais il est souvent difficile
d'exprimer l'intensité
de notre souffrance. C'est pourquoi
les médecins ont créé une échelle
de zéro à dix pour mieux
nous comprendre, mais sûrement pas
pour nous comparer.

Pourquoi on rêve ?

Plus la nuit avance,
plus nos rêves sont longs :
dix, vingt ou trente minutes.
Parfois l'on s'en souvient, parfois non.
Mais ce n'est pas facile
de savoir vraiment à quoi
ils servent.

Certains pensent
qu'ils veulent dire quelque chose
et que nous pouvons les interpréter.
Dans l'Antiquité, par exemple,
on croyait que les rêves étaient
un message des dieux. En Égypte,
des devins étaient chargés
d'interpréter ceux
du pharaon.

En Afrique,
comme dans d'autres cultures
traditionnelles, les guérisseurs
voient souvent en rêve la cause
des maladies de ceux
qui les consultent et les remèdes
qu'il faut leur donner.

D'autres affirment
que les rêves sont un peu
comme des films en couleur
ou en noir et blanc avec un décor
particulier. Ils exprimeraient
d'une autre façon nos soucis,
nos peurs, nos désirs
de tous les jours.

Il y a aussi
ceux qui rêvent éveillés
et qui ne s'en rendent pas compte.
Le cancre du poème de
Jacques Prévert qui rêve
en regardant par la fenêtre
de la classe devait être
de ceux-là !

Pourquoi on se ronge les ongles ?

Il existe presque autant de réponses à cette question qu'il y a de personnes qui se rongent les ongles. Sachant qu'en France, en moyenne, un enfant scolarisé sur trois a cette douloureuse manie, un livre entier ne suffirait pas à tout expliquer !

À chacun sa raison donc, mais il est important de la trouver pour pouvoir arrêter. Car rien ne sert de vivre avec des gants ou de se badigeonner les ongles de vernis au goût bizarre, rien n'y fera si la cause n'est pas élucidée.

Transformez-vous en Sherlock Holmes, Hercule Poirot ou tout autre célèbre détective et repérez où et quand cela vous prend.

Est-ce à la maison ou à l'école ? Quand vous êtes seul ou avec d'autres, et qui ? Est-ce par inquiétude ou par ennui ?...

À force de noter dans votre tête ou sur un petit carnet ces moments fatidiques, cette vilaine habitude pourra disparaître d'elle-même. Car, constamment pris en flagrant délit, votre inconscient n'aura plus de prise sur la mutilation de vos bouts de doigts.

Est-ce que les plantes se parlent entre elles ?

Mais non
les plantes ne parlent pas,
elles chantent ! Vous ne les avez donc jamais écoutées ? On les entend à peine chuchoter dans le creux des fossés, au bord de la rivière, dans le vent de l'été. Plus sérieusement, comment savoir si les plantes se racontent des histoires ?

Pour certains scientifiques, les plantes ne se parlent pas entre elles mais se communiquent un certain nombre d'informations en émettant des gaz chimiques.

Par exemple :
« Attention ! Brouteurs particulièrement voraces. »
Ce signal gazeux, envoyé par la plante en train d'être mangée, se propage immédiatement aux plantes de la même espèce. Elles réagissent aussitôt en fabriquant des substances très indigestes. De quoi décourager les plus gros appétits !

Si les mangeurs de plantes restent raisonnables, la plante, ne se sentant pas en danger, n'émet aucun signal de défense.

On oublie bien souvent que les plantes sont des organismes vivants… Les plantes peuvent très bien se passer de nous pour vivre, mais nous, nous avons besoin d'elles ! Raison de plus pour les respecter !

bla
bla
bla

blabla
blablabla
blablabla
blablabla

Je peux parler, oui ??

blabla
blabla
blablabla
blabla
blabla

bla
bla
bl

blablabla
blablabla
blablabla
blabla

blabla

bla
bla

blabla
blabla
bla

blabla
blabla
blabla

blabla
blabla
bla

Pourquoi les chiens et les chats se détestent-ils ?

Tout cela
ne serait-il pas qu'une légende
de dessin animé ? Une « animosité »
créée par l'homme entre
deux espèces qui, dans le fond,
n'ont rien à se reprocher ?

Chasseurs
tous les deux, ils n'ont pas
le même comportement. L'un attend
des heures que souris ou oiseau
soient à portée de patte. Quand
l'autre, truffe à terre, suit la piste
d'une proie jusqu'à la rattraper
dans sa course.

Dans la nature,
les prédateurs ne s'attaquent pas
entre eux, ils s'ignorent.
Chacun son territoire de chasse
et chacun sa proie.

Dans nos fermes
et nos maisons, nos compagnons
sont bien nourris et ne chassent plus
que pour servir l'homme
ou s'amuser. Pas étonnant donc
qu'un chien coure derrière un chat
si ce dernier détale
devant lui.

Mais le plus souvent,
si personne ne se mêle
de leurs affaires, chats
et chiens peuvent faire
très bon ménage.

À quoi ça sert de croire en Dieu ?

Avant de savoir
à quoi cela sert de croire en Dieu,
si cela est utile ou pas,
si l'on fait un bon ou un mauvais usage
de cette foi, il faut se demander
ce que l'on veut dire par croire
en Dieu.

On pourrait
tout aussi bien croire au Père Noël,
aux fantômes ou aux extraterrestres.
Cela servirait à se faire peur,
à se rassurer ou
à rêver.

Croire en Dieu
ne veut pas dire accepter
à l'aveuglette tout ce qui est dit
sur Dieu sans savoir si c'est vrai.
Au contraire, croire suppose toujours
que l'on recherche la vérité
avec son intelligence et sa raison
pour comprendre ce à quoi
l'on croit.

Croire en Dieu
c'est avant tout, à partir
du monde réel qui nous entoure,
se préoccuper de savoir si Dieu existe
et si ce qui est dit de lui
est vrai.

Est-ce que
connaître cette vérité
sert à quelque chose ?
Pour certains théologiens
(théologie signifie science de Dieu),
croire en Dieu c'est croire en la vie,
en tout élan qui permet de grandir.
Pour d'autres, c'est aussi croire
en l'Homme parce qu'il représente
le visage de Dieu. Pour les uns
et les autres, croire en Dieu exige
que l'on agisse en conformité
avec sa foi.

Pourquoi y a-t-il des guerres ?

La violence
des hommes les uns
envers les autres est née
dès que certains ont volé
ce que d'autres possédaient
ou avaient obtenu
en travaillant la terre.

Nos lointains ancêtres,
aux temps préhistoriques,
se battaient déjà pour conquérir
de nouvelles terres bonnes
à cultiver où ils pourraient
s'installer.

Aujourd'hui, par exemple,
on peut se faire la guerre
parce que certains peuples contestent
les frontières qui les séparent
de leurs pays respectifs,
ce sont des guerres
territoriales.

Ou alors
d'autres peuples,
à l'intérieur d'un même pays,
refusent de vivre ensemble
parce qu'ils n'ont pas la même origine,
la même culture ou la même religion,
ils se battent pour imposer
leurs idées et leur façon de vivre.
Ainsi naissent les guerres
civiles.

Certains groupes
en guerre ne se battent
plus seulement par armées
interposées, et la guerre
a de nouveaux visages comme
les attentats ou les prises
d'otages.

Pourtant,
après la Seconde Guerre mondiale
en 1945, des pays ont décidé
de s'associer pour éviter les guerres
et s'aider économiquement
et culturellement. Ils ont fondé l'ONU
l'Organisation des Nations unies,
car « la paix est le seul combat
qui vaille d'être mené ».

Pourquoi les filles ne sont pas pareilles que les garçons ?

Tous nos secrets
de fabrication sont contenus
dans le noyau de chacune
des cellules de notre corps
sous la forme de microscopiques
bâtonnets appelés « chromosomes ».
Nous, les humains, nous en avons
quarante-six. Vingt-trois viennent
de notre père et vingt-trois
de notre mère.

Lorsqu'un
spermatozoïde a fusionné
vec un ovule à notre conception,
les chromosomes paternels
: maternels se sont alors groupés
ntre eux pour former des paires.
C'est dans la vingt-troisième
et dernière paire que tout se joue
quant à notre sexe.

Le chromosome sexuel
apporté par maman
est obligatoirement X,
ais celui de papa peut être X ou Y.
Ils sont appelés ainsi,
ar ils en ont la forme. Une chance
ır deux donc que la dernière paire
soit XX, c'est-à-dire une fille,
ou XY, un garçon.

Les Chromosomes en promenade

Parce que chacune
de nos cellules sait
si nous sommes fille ou garçon,
nous sommes différents
non seulement par les organes
visibles qui mettent en évidence
notre sexe, mais aussi
dans le fonctionnement
de tout notre organisme.

Alors, tout ne serait
qu'une question d'alphabet ?
Pas tout à fait ! Si notre organisme
peut influer sur notre comportement,
il n'y a pas de différences que l'on soit fille
ou garçon quand on parle des sentiments,
de l'intelligence et peut-être même de la force
ysique comme on l'a si souvent pensé pendant
des siècles, mais seulement des préjugés.
Ce que deviennent les filles ou les garçons
dépend souvent de la famille
et de la société dans lesquelles
elles ou ils se trouvent.

Pourquoi on est jaloux ?

Je déteste cette petite sœur qui reste avec maman toute la journée alors que je suis en classe. Je ne supporte pas que mon meilleur ami parte en week-end chez ce « gros plein de soupe » ! Je me sens totalement désespéré quand mon chien se précipite sur papa alors que je lui fais un gros câlin.

Stop ! Arrêtez tout ! La jalousie vous ronge et vous pourrit la vie.

Oui mais voilà, c'est un sentiment difficilement contrôlable.

La jalousie vient souvent d'un manque de confiance en soi, c'est quelque chose comme : « Je ne suis pas assez bien pour être aimé. » C'est à la fois la douleur de voir quelqu'un jouir de quelque chose qu'on ne peut pas avoir et la peur de perdre ce que l'on a.

La jalousie est vite envahissante et nous fait penser que tout est mieux ailleurs.

Chacun d'entre nous est susceptible d'éprouver un jour cette souffrance et mieux vaut se transformer le plus vite possible en chasseur de jalousie, car elle représente un vrai danger pour toutes nos relations avec les autres. Et surtout, elle nous empêche de nous occuper de nous-même, de nous développer au mieux avec ce que l'on a.

Mon petit minou !

Nananana nère...

Pourquoi devient-on chauve ?

Chaque personne
possède environ
cent vingt mille cheveux.
Ceux-ci poussent d'à peu près
1 centimètre
par mois.

Ainsi,
c'est 12 centimètres de cheveux
qui nous poussent en moyenne
sur la tête tous les ans !

Un cheveu
a une durée de vie
qui peut varier de trois à huit ans
et se renouvelle
une quinzaine de fois
au cours de notre
existence.

Quand
une personne est chauve,
c'est que le cycle
de renouvellement
a été trop rapide
et, du coup,
le stock est épuisé.

Pourquoi on ne marche pas la tête en bas quand on est de l'autre côté de la Terre ?

Ça,
c'est vous qui le dites !
Car tout dépend du point de vue
où l'on se place. Vue de très haut
dans l'espace, la Terre ressemblerait
un peu à une pelote d'épingles.
Nous, nous serions les épingles,
plantées toutes droites dans
notre boule de pâte à modeler.
Certaines auraient la tête
en bas, d'autres en l'air
ou sur le côté.

C'est la gravitation
qui nous « plante » sur la Terre
comme les épingles d'une pelote,
car l'immense noyau qui la compose
agit sur nous comme un aimant.
La gravitation est cette force qui fait
que tous les corps, quels qu'ils soient,
s'attirent mutuellement.
Plus la différence de taille entre
deux corps est grande, plus le gros
attire le petit.

Comme la Terre est ronde,
la gravitation est la même sur toute
sa surface. Voilà pourquoi on reste
au sol quelle que soit notre position
géographique, et que les rivières
descendent des montagnes
ou qu'un ballon retombe
toujours.

C'est aussi
cette force d'attraction
qui fait tourner la Lune
autour de la Terre, la Terre autour
du Soleil sans que les uns
tombent sur les autres.

Alors, à moins de tomber
sur la tête, personne
n'est à l'envers de l'autre côté
de la Terre !

Pourquoi on ne peut pas s'empêcher de mentir ?

Vers l'âge de 2 ans, pour vérifier que ses parents ne lisent pas dans ses pensées, un enfant va s'essayer à de petits mensonges. C'est une sorte de passage obligatoire dans la constitution et l'affirmation de sa personnalité. Tout seul sur une île déserte, on pourrait se raconter des histoires mais pas se mentir, le mensonge arrive avec les autres.

Le mensonge peut être « utile » ou « compensatoire ». Mais comment faire la différence entre les deux ? Lorsque l'on sait qu'on a fait quelque chose de mal et qu'on refuse de l'avouer de peur de ne plus être aimé ou de se faire gronder, on fait un mensonge utile, on nie la vérité parce que ça nous arrange.

Le mensonge compensatoire, quant à lui, est celui qu'on utilise quand on invente ou enjolive un événement de sa propre vie dans l'espoir de se rendre plus « beau » aux yeux des autres.

La vérité est difficile à dire. C'est pourquoi, sur le moment, il paraît plus simple de mentir. Pourtant, quelle que soit la forme utilisée, le mensonge nous entraîne toujours dans une spirale infernale dont on a beaucoup de mal à se dépêtrer.

La vérité demande du courage sur l'instant, mais quel soulagement ! À vous de choisir !

Est-ce que mes vœux peuvent être exaucés ?

Vous avez aperçu
une étoile filante ? Quelle chance !
On dit que cela porte bonheur !
Faites un vœu, il sera exaucé !
Oui, mais par qui ? Car à qui s'adressent
ces vœux ? Et qui pourrait réaliser tous nos
souhaits comme ça, d'un coup de baguette
magique ? À moins que le hasard
ne fasse bien les choses, il y a peu
de chances pour que des événements
improbables se réalisent.

« Bonne année,
bonne santé ! » « Vœux de bonheur
aux mariés ! » : ces vœux souhaités
à d'autres sont une façon d'éloigner
le malheur. Et l'on a beau vouloir
de toutes ses forces qu'ils se réalisent,
ce n'est pas toujours le cas.
On ne peut pas agir sur les causes
des événements qui arrivent
et qui ne dépendent pas de soi.
La maladie ou la mort ne dépendent
pas de nous.

Mais il y a aussi
des vœux qui sont
comme des promesses faites
à soi-même, comme faire vœu
de ne pas tricher ou de non-violence.
Dans ces cas-là, bien sûr,
il ne tient qu'à soi
qu'il soit exaucé.

Pourquoi les parents ne veulent pas de chien ?

Et qui promènera ce sac à puces ? Qui lui donnera à manger ? Qui l'emmènera en vacances ? Qui le soignera s'il est malade ? Et qui le consolera s'il reste tout seul ?

N'insistez pas si votre désir d'avoir un chien provoque une avalanche de questions, c'est que vos parents ne sont pas prêts à adopter un compagnon à quatre pattes.

On a beau promettre, jurer, que le chien c'est notre affaire, les parents ne le croient pas vraiment. Ils ont raison, un chien, ce n'est pas un jouet que l'on peut laisser dans un panier sans s'en occuper.

Quelle que soit sa race, il a son caractère avec ses qualités et ses défauts. Il prend de la place et il a besoin d'espace.

Il faut se demander si toutes les conditions sont réunies pour qu'il soit heureux plutôt que d'être obligé de s'en séparer deux mois après.

De plus, il faut bien connaître le comportement de ce « carnivore » car, s'il se sent menacé, il se défend naturellement en attaquant et en mordant. Avoir un chien ne doit jamais être un caprice.

Un chien vit en moyenne douze ans. C'est une grande responsabilité que de l'aimer. Toute la famille doit être d'accord pour l'adopter, cela évitera bien des disputes dès sa première bêtise. Pas vrai, Médor ?

Pourquoi faut-il toujours se coucher ?

Parce que dormir debout ne permet pas de bien dormir et que bien dormir est indispensable pour bien vivre !

Imaginez un peu : le sommeil occupe un tiers de notre vie. Ce qui veut dire qu'une personne de 60 ans a dormi vingt ans ! Difficile de croire que tout ce temps ne serait que temps perdu. Alors, que se passe-t-il donc la nuit sans qu'on s'en rende compte ?

Toute la journée, notre cerveau emmagasine des tonnes de nouvelles informations, il gère le corps dans ses mouvements et farfouille dans la mémoire à la recherche de tout ce qui peut nous être utile. Pas le temps de ranger ni de trier !

Au bout de quelques heures, il n'en peut plus et envoie des signaux pour nous le dire, comme les yeux qui piquent ou es bâillements. Rien ne sert de lutter, il faut aller se coucher ! Le cerveau a besoin de remettre de l'ordre dans notre tête ! Et si on l'en empêche, are aux représailles : on mélange tout, n n'a plus envie de rien et impossible de retenir la moindre leçon !

Pour bien travailler, il faut bien dormir !

ZZZZ

La durée de sommeil nécessaire à une personne va dépendre du temps dont son cerveau a besoin pour ranger.

Enfant, on apprend beaucoup, on a donc plus besoin de dormir qu'un adulte. Plus de seize heures par jour pour un bébé et environ dix heures entre 6 et 12 ans.

À vos calculs ! À quelle heure devez-vous vous coucher ?

Index thématique

La Terre

Des petites manies

Les Sentiments

Le ciel

Les Croyances et la mort

La vie en société

Des questions insolites

La vie quotidienne quand on est enfant

Les Fleurs et les fruits

Le fonctionnement du corps ?

Les animaux